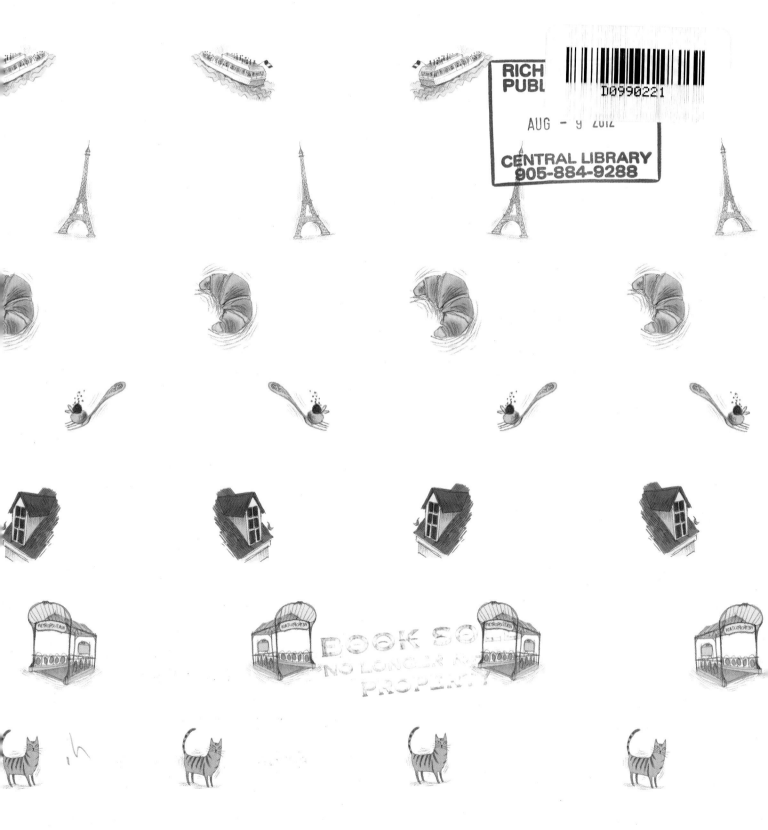

ISBN 978-2-916947-34-1
Édité par ABC MELODY Éditions
www.abcmelody.com
© ABC MELODY 2009
Imprimé en Chine

Dépôt légal janvier 2010
Loi n°49-956 du 16 juillet 1949 sur les publications destinées à la jeunesse.

Marie
de Paris

Bonjour, je m'appelle Marie. J'habite à Paris. Viens avec moi rencontrer ma famille et mes amis !

Auteurs : Françoise Sabatier-Morel & Isabelle Pellegrini
Illustratrice : Princesse Camcam

Je m'appelle Marie. J'ai sept ans. J'habite à Paris, la capitale de la France.
Paris est une très belle ville qui abrite des monuments historiques, d'immenses musées,
de grands magasins, des restaurants gastronomiques, de beaux parcs et de très jolis
ponts. Tu vois le fleuve qui traverse Paris ? C'est la Seine.

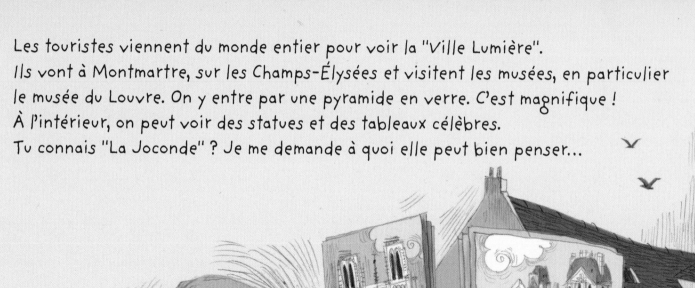

Les touristes viennent du monde entier pour voir la "Ville Lumière".
Ils vont à Montmartre, sur les Champs-Élysées et visitent les musées, en particulier
le musée du Louvre. On y entre par une pyramide en verre. C'est magnifique !
À l'intérieur, on peut voir des statues et des tableaux célèbres.
Tu connais "La Joconde" ? Je me demande à quoi elle peut bien penser...

Mon endroit préféré, c'est le jardin du Luxembourg.
J'y vais souvent avec ma mère, le samedi. On regarde les enfants qui font voguer leurs voiliers sur le bassin. Il y aussi des poneys, des balançoires et un théâtre de Guignol. Tu connais Guignol ? C'est vraiment très rigolo ! Sais-tu que cette marionnette a plus de deux cents ans ?

J'habite avec ma famille dans un immeuble, au dernier étage sous les toits.
Notre appartement n'est pas très grand mais il est plein de charme.
Il y a de drôles de fenêtres qu'on appelle des "chiens-assis", ce qui fait bien
rire Tartine, mon chat... Nicolas, mon grand frère, joue de la guitare électrique.
En ce moment, il répète avec ses copains pour la Fête de la Musique. Quel vacarme !

Mes parents partent tôt au travail, en métro ou en bus.
Maman est puéricultrice, elle s'occupe de bébés dans une crèche
et Papa est chef cuisinier dans un restaurant. Il fait très bien la cuisine,
mais Maman dit qu'il est très distrait. C'est vrai qu'il est un peu dans la lune…

11

Moi, je vais à l'école à pied car elle est juste à côté de chez nous.
Tous les soirs, je rentre avec mes copines et mes copains. Il y a une dame
qui nous aide à traverser la rue, puis on passe devant la meilleure boulangerie
du quartier. Regarde les bons gâteaux dans la vitrine ! Quelquefois, on achète
des pains au chocolat ou des croissants pour le goûter. Miam, miam !

Mes copines sont dans la même classe que moi. Nous nous connaissons depuis l'école maternelle. Maintenant, nous sommes à la grande école et notre maîtresse, Madame Dubois, nous apprend à lire, à écrire et à compter. J'adore les récitations. Aujourd'hui, c'est au tour de Lucie de réciter une poésie devant la classe.

Notre moment préféré, c'est la récré ! Les garçons jouent au foot et nous,
on joue à l'élastique et à la corde à sauter. Parfois, les garçons jouent
à nous attraper. Manon appelle ce jeu "Attrape-bisous"...
Paris est une ville très romantique !

Le mercredi, il n'y a pas classe alors on peut faire plein d'activités !
Ma meilleure copine, Manon, fait du piano et mon copain Moussa du tennis.
Moi, je fais de la danse classique.
Un jour, j'aimerais être danseuse à l'Opéra de Paris. Mais Maman dit
qu'il faudra d'abord que je sois "petit rat", alors je réfléchis encore un peu...

Le week-end, dès qu'il fait beau, nous partons en voiture à la campagne,
dans notre petite maison. Nous avons un joli jardin avec des fleurs
et un petit potager où je fais pousser de belles tomates et des laitues croquantes.
Les amis de mes parents viennent souvent déjeuner avec nous le dimanche.
Ils disent que mes tomates sont délicieuses !

Quand nous restons à Paris, nous allons souvent nous
promener sur les quais de Seine en dégustant une glace.
J'adore fouiller dans les étals des bouquinistes
et prendre le bateau-mouche jusqu'à la tour Eiffel.
Tu vois le Pont Neuf ? C'est le plus vieux pont de Paris !

Pour mon anniversaire, j'ai invité mes copines et mes copains à la maison.
Il y avait Lucie, Moussa, Manon, Fatima, Pierre et Li. Papa nous a fait
des tartelettes aux fraises et un énorme gâteau Opéra au chocolat.
On a écouté de la musique et dansé comme des fous.
C'était vraiment une chouette fête !

Pour Noël, nous allons chez mes grands-parents à Saint-Rémy de Provence.
Avec mes cousins, on décore le sapin et on fait une grande crèche avec des santons
très anciens. Mon préféré, c'est le berger qui porte un agneau sur ses épaules.
Après la bûche de Noël, Grand-mère nous apporte les treize desserts. Quel régal !
Puis, on s'endort au coin du feu pendant que Grand-père nous raconte des histoires.

Voilà, la visite est terminée ! J'espère te voir bientôt à Paris. Au revoir !

Le petit lexique illustré de Marie

PAGE 2-3
Gastronomie : L'art de la bonne cuisine.

Un Grand Magasin : Commerce occupant plusieurs étages d'un bâtiment, généralement situé en centre-ville. Il offre un large choix de produits, organisés en rayons. Le premier Grand Magasin fut créé à Paris en 1852, c'est le Bon Marché qui existe encore aujourd'hui.

Musée : Établissement présentant aux visiteurs des collections d'œuvres (statues, tableaux...) ou d'objets ayant un intérêt artistique, scientifique, historique ou technique.

PAGES 6-7
Guignol : Marionnette inventée à Lyon en 1808. Devient un spectacle pour enfants à Paris vers 1850. Les personnages principaux sont Guignol, sa femme Madelon, Gnafron l'ami de Guignol et sa femme Toinon, le gendarme, le juge et le propriétaire.

PAGES 8-9
Chien-assis : Petite fenêtre posée sur la pente d'un toit et dont la silhouette de profil rappelle celle d'un chien assis.

PAGES 18-19
Petit rat de l'Opéra de Paris : Nom donné aux enfants qui étudient la danse à l'Opéra de Paris, avant de devenir danseurs professionnels. On les appelle ainsi car le bruit de leurs chaussons sur les planchers de bois rappelle le trottinement des rongeurs.

PAGES 20-21
Potager : Jardin où l'on cultive des plantes et légumes utilisés pour la cuisine.

PAGES 22-23

Bouquiniste : Vendeur de livres d'occasion. À Paris, il y a près de 200 bouquinistes sur les quais de la Seine qui ont pour boutique de grandes boîtes vertes accrochées au parapet.

Bateau-mouche : Bateau spécialement équipé avec un pont supérieur découvert et des sièges permettant de faire des visites touristiques sur la Seine, à Paris.

PAGES 26-27

Crèche : **1)** Modèle réduit représentant l'étable où est né Jésus-Christ, que l'on réalise pour Noël dans la tradition chrétienne. **2)** Établissement qui garde et s'occupe de très jeunes enfants durant la journée lorsque leurs parents travaillent.

Bûche de Noël : Pâtisserie en forme de bûche de bois, traditionnellement consommée lors du repas de Noël.

Santon : Figurine en terre cuite originaire de Provence, que l'on place dans la crèche à Noël.

Les treize desserts : Les treize desserts représentent Jésus-Christ et ses douze apôtres. Selon la tradition, ils doivent tous être présentés ensemble sur la table et chaque convive mange un peu de chaque dessert pour s'assurer bonne fortune pour toute l'année. Leur composition varie selon les endroits mais on y retrouve des oranges, clémentines ou mandarines, des noix, figues sèches, amandes et raisins secs, pommes, poires, pompe à huile (brioche sucrée faite à l'huile d'olive), oreillettes ou bugnes ou merveilles (sortes de beignets sucrés à la fleur d'oranger), dattes, fruits confits, calissons, pâte de coing…

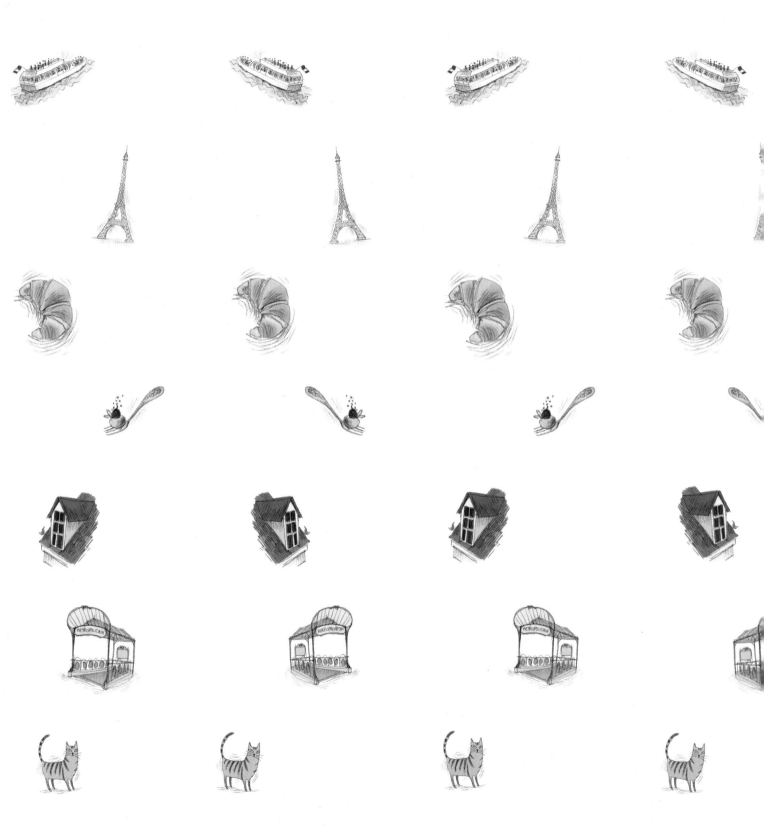